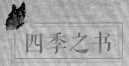

四季之书

U0291948

夏冬之交的秋天

Autumn The In-Between Season

【希】丽莎·博隆扎克斯/著

【希】丹妮拉·扎基娜/绘

张卫红/译

北京理工大学出版社
BEIJING INSTITUTE OF TECHNOLOGY PRESS

图书在版编目（CIP）数据

夏冬之交的秋天 / (希) 丽莎·博隆扎克斯(Litsa Bolontzakis) 著 ; (希) 丹妮拉·扎基娜(Daniela Zekina) 绘 ; 张卫红译. — 北京 : 北京理工大学出版社, 2018.6

（四季之书）

书名原文: Autumn: The In Between Season

ISBN 978-7-5682-5539-4

Ⅰ.①夏… Ⅱ.①丽… ②丹… ③张… Ⅲ.①秋季—儿童读物 Ⅳ.①P193-49

中国版本图书馆CIP数据核字(2018)第069247号

北京市版权局著作权合同登记号图字：01-2018-1590

Copyright © Litsa Bolontzakis

Published by Publications Hummingbird International

The simplified Chinese translation rights arranged through Rightol Media （本书中文简体版权经由锐拓传媒取得Email:copyright@rightol.com）

出版发行 / 北京理工大学出版社有限责任公司

社　　　址 / 北京市海淀区中关村南大街5号

邮　　　编 / 100081

电　　　话 / （010）68914775（总编室）

　　　　　　（010）82562903（教材售后服务热线）

　　　　　　（010）68948351（其他图书服务热线）

网　　　址 / http://www.bitpress.com.cn

经　　　销 / 全国各地新华书店

印　　　刷 / 三河市祥宏印务有限公司

开　　　本 / 889毫米×1194毫米　1／16

印　　　张 / 2.25　　　　　　　　　　　　　　　责任编辑 / 杨海莲

字　　　数 / 45千字　　　　　　　　　　　　　　文案编辑 / 杨海莲

版　　　次 / 2018年6月第1版　2018年6月第1次印刷　　责任校对 / 周瑞红

定　　　价 / 32.00元　　　　　　　　　　　　　　责任印制 / 施胜娟

谨献给

　　我挚爱的父母，以及所有在孩子幼小的心灵上播种爱、感恩和慷慨的父母们！愿本书能伴您左右，对您有所帮助！

怀着爱和感恩，献给您

丽莎 *Litsa*

2

在四季之中，很多人觉得秋天最为枯燥乏味。我想，这可能是因为在他们看来，秋天没有夏天的灿烂阳光，没有春天的草绿芽嫩，甚至也没有冬天的快乐假期！

可对我来说，秋天永远都是我最喜欢的季节，因为秋天里有我的最爱——果树！你知道吗，许多果树是在秋天开花的。

好吧，至少在我们希腊，它们的确秋天开花！

橙子树和橘子树是我最喜欢的秋天的果树，我一直觉得它们在冬天到来之前开花成熟正是时候。为什么呢？因为橙子和橘子富含充足的维生素C，可以让我们整个冬天都远离感冒。

这些果树一排一排地长在山坡上，挂满果树的美味果实静待人们采摘，足足可以采摘一整个秋天。

新鲜的橘子美味甘甜，盛开的橘树同样风情万种，连花香也那么甜美怡人——想象一下，那成千上万的花瓣一起散发着醉人的芳香！

当然，我们所住的小镇并没有那么大地方种那么多树，所以要到其他地方去观赏。不过，这样的旅行特别值得期待，因为可以欣赏到成千上万株美丽的橘树。

如果每个小伙伴都能看到盛开的橘树，肯定就能明白为什么橘子会成为秋天中我的最爱了。

幸运的是，乡下人都非常慷慨大方。每次开车来乡下，回程时车上都会装满新鲜的橘子，这么多美味当然要跟朋友邻居们分享啦。

通常，附近的小伙伴们下午都会来我家，补充一"支"爸爸妈妈分发的维生素C，当然就是刚刚采摘回来的橙子或橘子啦。同样，如果我们的朋友从乡下回来，也会邀请我们过去品尝他们采摘的果实。

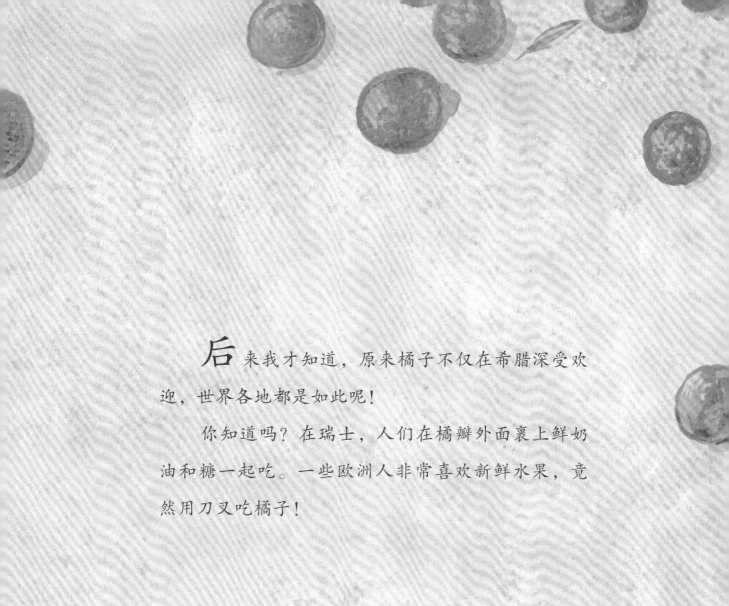

后来我才知道，原来橘子不仅在希腊深受欢迎，世界各地都是如此呢！

你知道吗？在瑞士，人们在橘瓣外面裹上鲜奶油和糖一起吃。一些欧洲人非常喜欢新鲜水果，竟然用刀叉吃橘子！

除了橙子和橘子之外，另一个预示秋天正式来临的标志就是：燕儿南飞。整个春天和夏天，燕子就住在这里，它们轻盈的身形在天空中掠过，在各家各户的屋檐下搭窝筑巢。一旦离开，我会非常怀念它们欢快的叫声和优美的身姿！

我特别喜欢看燕子飞翔，它们那么优雅，那么自由，即使将要离开我们前往南方过冬，依然那么灵巧！

"它们要去哪里呢？"夏日将逝、秋天来临的时候，我不禁自问。我知道燕子要南飞越冬，可它们要飞多远呢？它们最后飞往何处落脚呢？

实际上，欧洲的燕子要一直飞往非洲的最南端。你要是看看地图，就会发现那真是一段很远、很远、很远的路程！

那么，燕子究竟为什么要离开呢？

这里的白天越来越短，所以燕子们就开始计划迁徙了，也就是说，这些"见异思迁"的鸟儿们准备从北方飞往南方了。冬天的脚步越来越近，白昼越来越短，燕子就开始变得焦躁不安。所以，它们想要飞往南方，因为那里的白天更长。

燕子南飞的另一个原因是无法抵御希腊冬季的寒冷。此外，它们每天都要觅食充饥，所以得飞往温暖的南方，那里有它们需要的虫子。

一想到鸟儿，我们肯定会想到鸟巢，一想到鸟巢，我们一定又会想到大树。但是那些每年秋天都会从我们这个希腊小岛上南飞的燕子却并不在树上筑巢搭窝，这是为什么呢？

实际上，燕子是一种非常奇怪的鸟类，它们喜欢把窝搭在人们的房檐下！我不明白燕子为什么不喜欢树，不过对于它们在我家房檐下筑巢，我倒毫不介意，恰恰相反，我喜欢身边有它们的陪伴。很多时候我在担心燕子一家会搬走。

每年深秋，尽管我知道燕子要去的是一个温暖安全的地方，但每每看到这些美丽优雅的鸟儿纷纷飞走，我依然忍不住伤心难过。

为什么伤心呢？因为我知道它们要过好久好久才能回来。

冬去春又来的时节，燕子们就会再飞回来。这一来一回，它们差不多要飞一万四千英里*呢。最不可思议的是，燕子回来后总是会在同一个地方筑巢，所以我每时每刻都盼着它们能回来在我家房檐下搭建温暖舒适的燕子窝。

★ 译者注：一万四千英里=22530.816千米。

尽管我非常喜欢秋天里繁盛的果树和优雅的燕子，但秋天的到来同时也意味着夏天的结束——不会再有神奇魔毯上的美好时光，不能再沐浴在阳光下享受冰爽的西瓜和菲达奶酪，不能再早上赖床午后偷懒了。

随着学校开学，夏天的欢乐时光也宣告结束了。经过三个月的暑假再返回学校的确是件让人失落的事，不过我心里也会有点小小的期待，因为我所在的学校位于市区，离爸爸的鱼店很近。

爸爸经常会在午间休息时给我带来惊喜——提奥皮塔（tiropita），这是一种薄薄的三角形奶酪派，美味极了，特别适合干燥的秋季吃。有时候他带来的是我最最喜欢的甜食——帕斯塔里（pasteli），这种用蜂蜜、芝麻和杏仁条做成的甜食跟糖果一样甜，却比糖果健康，这样爸爸让我吃的时候心里就不会有太多的愧疚感啦。

我们学校在市中心，周围有一圈高高的栏杆。看见爸爸站在围栏外面，我的心情一下子就会变得像阳光一样灿烂。

即使在单词拼写测试中成绩不好，只要看到围栏外的爸爸拿着一块儿刚做好的提奥皮塔，我就会转忧为喜。

如果在课间玩耍时擦破了膝盖，只要看到爸爸暖暖的微笑，我就会破涕为笑。

每当爸爸变魔术般地从身后拿出一条甜甜的帕斯塔里条，我瞬间觉得学校里的日子其实没那么难熬啦。

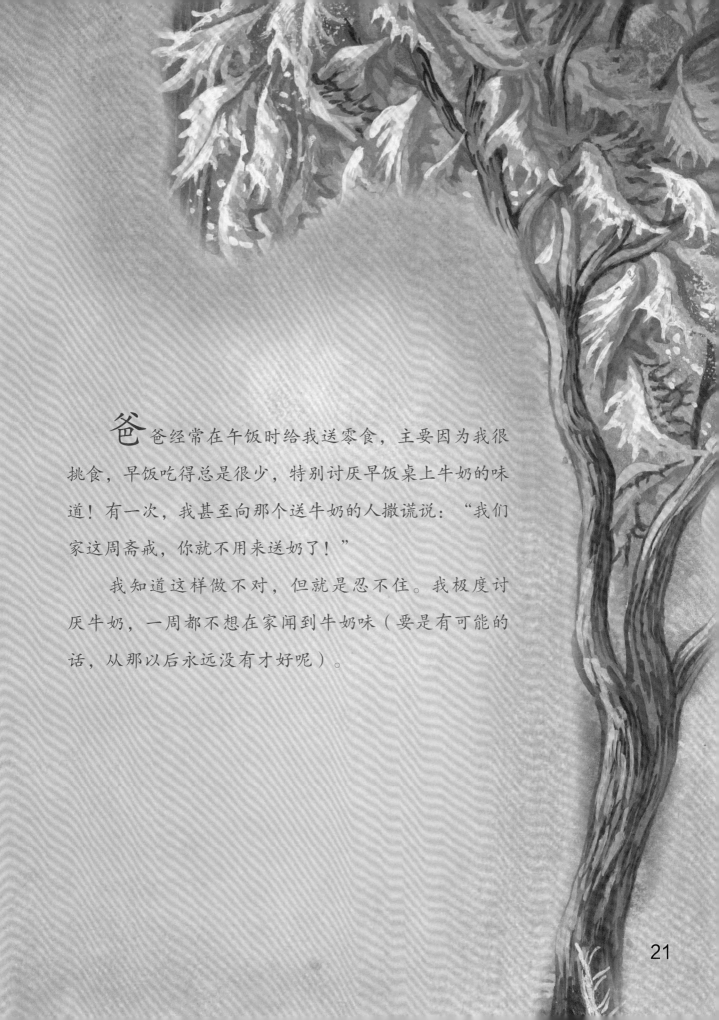

爸爸经常在午饭时给我送零食，主要因为我很挑食，早饭吃得总是很少，特别讨厌早饭桌上牛奶的味道！有一次，我甚至向那个送牛奶的人撒谎说："我们家这周斋戒，你就不用来送奶了！"

我知道这样做不对，但就是忍不住。我极度讨厌牛奶，一周都不想在家闻到牛奶味（要是有可能的话，从那以后永远没有才好呢）。

一周以后，妈妈发现了这个秘密，有点不高兴！（她不再给我准备下午茶了。）不过爸爸却为我准备了其他小点心，当然，是在妈妈看不见的时候！

无论天气怎样，一想到爸爸离我们学校那么近，我就会觉得踏实温暖。只要他能来，即便不带任何零食，只要能见到他我就非常开心。不过，要是他带点小礼物，我当然就会更高兴啦！

我喜欢爸爸来看我时带来的惊喜和美味的零食，这让我的午餐时光更加快乐。我从爸爸那儿学到了一个珍贵的品质——慷慨：赠人玫瑰，手留余香。

我喜欢付出赠予，喜欢看到对方接受时高兴的样子，此时的我也高兴不已！我深知，这种品质是爸爸妈妈送给我的最珍贵的礼物，希望每个人在其生命的某一时刻都能学会（当然，越早越好）。

　　很 多人都觉得秋天是属于鸟儿的季节——一点儿不错！每年这个时候，鸟儿们都会举家离开巢穴，一起振翅飞往南方。

　　但秋天同时也是平和与舒适的时节，是学习和爸爸带来惊喜的时节，是放学后品尝美味的希腊点心的时节。秋天，白天越来越短，天比以前黑得早了，燕子飞走之后，周围宁静了许多，这让我感到有点孤独、有点忧伤。

　　不过，这就是秋天的美妙之处——它是美好的"过渡"季节！

在炎热的夏天和寒冷的冬天之间，秋天带给人们安静和惬意。

在甜滋滋的西瓜和热乎乎的粟子之间，秋天带给人们新鲜的橘子和橙子。

在干燥的七月和多雨的十一月之间，秋天不温不火。

在快乐的暑假和充满憧憬的新年之间，我们可以怀想沙滩上的夏天，也可以期待冬天的长假。

秋天，以各种各样的方式，让我们为曾经度过的岁月，以及将要发生的一切而快乐！

杏仁芝麻帕斯塔里条

请在家长的监护下准备配料

$1\frac{1}{2}$ 杯去皮炒芝麻   3/4 杯糖

$1\frac{1}{2}$ 杯炒杏仁（切碎）   粗海盐提味

3/4 杯希腊百里香蜂蜜   1 茶匙柠檬汁

橄榄油，用来涂抹烤盘

制作过程：

烤盘涂满橄榄油，放置待用

高锅内放入蜂蜜和糖，在火上加热

熬制几分钟，加入柠檬汁

加入坚果，继续熬制2分钟，期间用木勺不停搅拌

加入少许粗海盐，继续搅拌，直到混合物变硬

将蜂蜜、杏仁和芝麻的混合物倒在涂了橄榄油的烤盘上

用木勺轻轻拍打，直至拍匀、拍平

然后将其切成1/4（0.635厘米）英寸宽、1英寸（2.54厘米）长的条状

烤盘静置，待其稍微冷却

糖果条冷却片刻，趁其余温，手指沾上橄榄油将糖果条卷成细小的圆条状

待其完全冷却就可以享用啦

提奥皮塔（希腊三角薄饼）

请在家长的监护下准备配料

100块，220摄氏度火烤15～20分钟

2杯希腊菲达奶酪　　　　　　胡椒粉和适量肉豆蔻

1杯奶油干酪　　　　　　　　1袋薄面皮（450克）

1个鸡蛋　　　　　　　　　　1/2杯融化奶油

1/4杯牛奶

制作过程：

将菲达奶酪和奶油干酪放入搅拌碗中充分搅拌

加入鸡蛋、牛奶、胡椒粉、肉豆蔻，继续搅拌

将薄面皮竖着切成2英寸宽的条状

取2条薄面皮

涂上融化的奶油

取一茶匙拌好的馅放在面皮一端，对角折叠成三角形

沿着边缘卷起来（就像卷一面旗子一样）

其他薄饼如法炮制

将做好的薄饼放在涂了黄油的烤盘上，在饼上面涂抹融化的奶油

烤箱220摄氏度烤15～20分钟或至金黄色

作者：丽莎·博隆扎克斯

插图：丹妮拉·扎基娜

本套丛书